升级版

四五快读

第六册

杨其铎 著

湖南科学技术出版社

图书在版编目（CIP）数据

四五快读　第六册 / 杨其铎著. ——修订本. ——长沙：湖南
科学技术出版社，2010.10

ISBN 978-7-5357-6427-0

Ⅰ.①四… Ⅱ.①杨… Ⅲ.①识字课–学前教育–教学参考
资料　Ⅳ.①G613.2

中国版本图书馆CIP数据核字（2010）第179833号

四五快读　第六册 全彩图　升级版

著　　者：杨其铎

责任编辑：柏　立

出版发行：湖南科学技术出版社

社　　址：长沙市湘雅路276号

　　　　　http://www.hnstp.com

邮购联系：本社直销科　0731-84375808

印　　刷：长沙市雅高彩印有限公司

　　　　　（印装质量问题请直接与本厂联系）

厂　　址：长沙市湘雅路341号纸张油墨市场内

邮　　编：410008

出版日期：2011年1月第1版第1次

开　　本：787mm×1092mm　1/16

印　　张：5.625

插　　页：10

书　　号：ISBN 978-7-5357-6427-0

定　　价：26.80元

中国学前教育研究会常务理事 王风野

阅读能力是人持续发展的重要工具性能力之一，而早期阅读是儿童成为成功阅读者的基础和终身学习者的开端。前苏联教育家苏霍姆林斯基指出："孩子的阅读开始越早，阅读时思维过程越复杂，阅读对智力发展就越有益。"我国的《幼儿教育指导纲要》也要求"利用图书、绘画和其他多种形式，引发幼儿对书籍、阅读和书写的兴趣，培养前阅读和前书写技能。"对儿童早期阅读的重要性，目前国内外教育界已形成共识。

儿童早期阅读并非始于识字，但识字是阅读的重要基础。如果在适当的年龄，用正确的方法让孩子提前识字，就能使孩子较早进入自主阅读，从而促进阅读能力和相关智力的较快发展。

《四五快读》是一套适合早期儿童识字阅读的读本。

本书作者杨其铎女士是一位作风严谨、勇于探索、成果丰硕的早期教育专家。她以成功培养自己的两个孩子（一为北大博士，一为清华少年大学生）为起点，进而开展对群体儿童早期教育的研究和实践。十几年来，培养了千余名早慧儿童，摸索总结出一整套独具特色的早期儿童智力能力培养的方案——"壹嘉伊方程"。《四五快读》（意为四五岁就可以识字，认识四五十个汉字就开始进入阅读）就是该方案中的识字读本。

目前，儿童早期识字的读本不少，各有千秋。本书的特色是：边学汉字，边根据已学汉字循序渐进地进入阅读符合幼儿认知水平、符合儿童生活情趣的词组、句子、短段、长段、短文，直至阅读由这些汉字编成的故事、童话等。

这样，单个枯燥的汉字不断被组合成鲜活的、生动有趣的词语、句子、故事。孩子很快就能够理解汉字所蕴含的意义，在脑海中形成与这些词语、句子、故事所表达的意思相符的生动画面，一步步品尝到识字乐趣，轻松愉快地识字，并很快获得自主阅读的能力。

《四五快读》采用的是形象、比喻、诱导、启发式的教学方法，用充满童趣的语言、生动形象的肢体动作和互动交流来教授汉字，能让儿童对识字产生好奇和兴趣。本书对每一个汉字的教授方法作了解说，方便家长、教师使用。孩子学完本套7本书，就能认识960个汉字，掌握4200个词语，能阅读600字的故事，并由此积累词汇和知识常识，产生自信心、成就感，进而习惯阅读，养成热爱阅读的好习惯，使其受益终生。

《四五快读》还将学识汉字、自主阅读的过程同步设计为开发多种智力能力的过程。每课后设置问答，既可加强对所学汉字、词语、句子、故事的理解，也启发孩子思维，提升注意力，训练记忆力，培养想象力、创造力。

《四五快读》在实验过程中十易其稿，经过十几年的教学实践，证实了它的可操作性和优越性。2004年第一版发行后，经过全国大量家长、早期教育机构的使用，证实了该书是一套符合早期儿童心理特点和教育规律的优秀识字读本。尤其是2009年第二版发行后，一直居少儿类图书销售前位，进一步证实了此书的效果。期望升级版（第三版）《四五快读》使更多的儿童获益。

❶ 全国最早进入自主阅读的一套教材

《壹嘉伊方程》系列教材中的"四五快读"识字阅读教材是经过十多年的教学实践、积累和修改，十易其稿而成的。它不同于普通的幼儿识字教材，是边学汉字边根据已学汉字进入阅读词组、句子、短段、长段、短文章直至故事、童话。"四五快读"的含意是"学习四、五十字就进入自主阅读"，它是全国最早进入自主阅读的一套教材。

❷ 全国最好的识字阅读教材，孩子们爱不释手的书

自2004年出版后，受到广大家长和孩子的喜爱和肯定。因为书中的每一个字，孩子都认识，每个词、每句话、每个故事，孩子们都懂，而且学会第六册后，孩子就可以读懂普通报纸的大部分内容，从而增强自信心和成就感，并从小打下喜爱阅读的好习惯，为一生的学习奠定坚实基础。不少家长盛赞此书为全国最好的识字阅读教材，孩子们爱不释手的书。

❸ 循序渐进学习汉字，轻松快乐进入阅读和学校学习

在孩子学会了最基本的16个字：人、口、大、中、小、哭、笑等之后，就开始学习词语"大人"、"大哭"、"大笑"等。

在学会32个字后，开始学习短句，例如："我有好爸爸、好妈妈。"、"天上有太阳、月亮、星星。"、"地上有土、石、山、水田等。因为加进了常用虚词"有"，便可以组成句子，也就开始了阅读。

在学会了88字（第一册）后，学习的句子更长。在第二册，就由阅读20~30个字的短段进入60~70个字的长段。第三册，就可以读200字左右的短文。第四、五、六册就读600字左右的故事了。"四五快读"的汉字与小学课本同步，坚持半年可学完本套书前七册，可以认识960个汉字，4200个词语（含130个成语、俗语）。孩子入学后，即可轻松进入学习状态。

❹ 详细全面的教学方法

本书提供每个字的具体教法，家长可以学会形象、比喻、诱导、启发的教学方法。

每课后的提问具有多种开发智力能力的作用，并引导孩子学会思考。增设了培养幼儿专注力的训练内容。

❺ 具有系统性，适合幼儿园、培训机构选作教材

升级版（第三版）亮点：

1．应读者要求，每课阅读故事中增加了许多彩色插图。

2．为了提高孩子的阅读能力，增加一个新品种，即由《四五快读》所识汉字编写的《四五快读故事集》，该书共有50篇故事，前8个故事没加新汉字，从第9个故事开始加新汉字，读完《四五快读故事集》又可学会273个新字。

3．为提高专注力训练教学中的"听两句话，找出相同的一个汉字"一项，提供了完整的例句。

写在前面的话

"四五快读"第六册共介绍111个汉字，360个词语，11篇故事。

本册书与第五册的教学方法相同，依然采用形象、比喻、诱导和启发的方法教授汉字，并更多地采用互动问答式的教学方法。继续进行拆分字的分析，以及比较形近字和同音字的不同。

本书未对词语做出解释，家长应针对孩子的具体认知和理解能力，选择适当的方法进行说明。为达到准确，请家长事先查阅字典或词典，以防止儿童"先入为主"的思维模式，曲解了汉字的意思。

本册书已全部进入故事的阅读。家长问孩子问题的难度也有所加大，对于孩子形成主动学习，钻研问题和积极思考的习惯，有着很好的引导作用。

本册书同样根据学习的具体汉字加进了提高专注力的训练内容。

目 录

第五十一课

宝宝学生字

停　而　窗　刚

撞　比　记　串

被　够　命　颈

定　吓　啄　破

宝宝读词语

停车	停放	停工
停火	停水	停学
停住	停不停	不停
停了	而今	窗洞
窗口	窗子	窗花
天窗	开窗	关窗
门窗	刚才	刚刚

刚好　刚正　刚来

刚走　刚停　撞车

撞见　撞上　比一比

不比　记住　记不住

记得　不记得　记不清

日记　笔记　游记

一串串　串门

交通指示灯

星期天，爸爸开着汽车带着我和朝阳哥哥一起去森林公园。因为是星期天，马路上的汽车很多，所以车开得很慢。爸爸一路上问了我们很多问题。

爸爸问："知道绿灯亮是应该走，还是应该停？"我和朝阳哥哥一起喊着说："应该走。"

"那么红灯亮呢？"

"应该停。"

"黄灯亮呢？"

"不知道。"

"你们看到了没有？红灯亮了以后，黄灯亮。黄灯亮了以后，绿灯亮。红灯不能走，绿灯能走。而黄灯是在能走和不能走中间时才亮。好好想一想，看你们两个谁聪明。"

"啊！我明白了。是停车以后，告诉你快要走时，才亮黄灯。对吗？"

"对啦！小朝阳真聪明。"爸爸摸了摸朝阳哥哥的头。

正在这时，听到"呜——"救火车的声音。我马上把头伸到了窗外，想看个明白。朝阳哥哥一把把我拉了回来。"在开车时，不能把头和手伸到车窗外边。要是刚好有车从边上开过去，会把你的头和手撞掉。多可怕！"

"还是朝阳哥哥比你知道的事多。你要好好记住。知道吗？"

 汉字教学法 ·······························

 用形象、比喻、诱导、启发式教授汉字

停：可引用词语——不停，停了，停水，停电，停火，停车，停学，停工，停止，停住，停留

而：可引用词语——而且，而已，而今

窗：可引用词语——窗洞，窗口，窗户，窗子，窗花，窗纱，窗帘，天窗，开窗，关窗，门窗，玻璃窗

刚：可引用词语——刚来，刚走，刚才，刚刚，刚停，刚好，刚强，刚正

撞：可引用词语——撞车，撞见，撞上，撞骗

比：可引用词语——比一比，不比，比赛，比武，比较，比如

记：可引用词语——记性，记住，记得，不记得，记不清，记忆，记忆力，记录，记者，日记，笔记，游记

串：可引用词语——一串串，串珠，串门

被：可引用词语——被子，被单，被褥，被告

够：可引用词语——够不够，不够，能够，够不着，够得着，够朋友

命：可引用词语——人命，一条命，生命，救命，命令

颈：可引用词语——长颈鹿，颈项

定：可引用词语——一定，不一定，定时，定期，定量，立定，坐定，定心

吓：可引用词语——吓人，吓唬，惊吓

啄：可引用词语——啄米，啄食，啄破，啄木鸟

破：可引用词语——破了，破开，破坏，破裂，破碎

 提高专注力汉字教学法

为为了提高孩子的听觉集中和分辨能力，随着孩子的逐渐成长，能力的逐渐增强，家长在教授孩子认识汉字时，可以采用说两句不同的句子，其中包含有一个相同的汉字（其他字不能相同），让孩子集中注意听，并分辨出是哪个字。然后，再对孩子"用形象、比喻、诱导、启发式教授汉字"的方法讲授这个字。

停：❶ 踩下刹车紧急停车。
　　❷ 因为大雪今天停课。

窗：❶ 窗外已经春意盎然。
　　❷ 杂志是对外的窗口。

撞：❶ 汽车相撞多么危险。
　　❷ 猎豹赛跑撞倒裁判。

记：❶ 海豚的记性特别好。
　　❷ 妈妈的话我记住了。

被：❶ 小兔被气球带上了天。
　　❷ 我帮助妈妈晒被子。

命：❶ 人的生命只有一次。
　　❷ 王二小大声喊救命。

而：❶ 哥哥高大而且强壮。
　　❷ 病人时而哭时而笑。

刚：❶ 爷爷刚才来过这里。
　　❷ 解放军叔叔很刚强。

比：❶ 世界足球比赛结束。
　　❷ 我比小明矮了一截。

串：❶ 妹妹穿了一串珠子。
　　❷ 大家串通好骗小明。

够：❶ 我够不到挂的毛巾。
　　❷ 哥哥能够吃三碗饭。

颈：❶ 长颈鹿能吃到树叶。
　　❷ 瓶颈是最细的地方。

定：① 我一定要好好学习。

② 妈妈定好了小闹钟。

啄：① 啄木鸟住在树洞里。

② 小鸡用尖嘴啄米吃。

吓：① 他被我吓得叫起来。

② 狐狸吓破了胆逃了。

破：① 衣服撕破不要紧的。

② 弟弟打破了玻璃窗。

① 先念会41个词语。

② 和孩子讨论每个词语的意思，先鼓励孩子用自己的话讲解出来（或者用造句的形式也可以，只要证明孩子已经懂得意思即可），之后家长加以补充和纠正。这种做法可以训练孩子的理解力和语言表达能力。

③ 家长说词语，让孩子用汉字卡片摆出这个词语。

先念熟故事，再回答下面的问题

爸爸、妈妈按课文内容问宝宝的问题

① 为什么爸爸的汽车开得很慢？

② 红灯亮是什么意思？绿灯亮是什么意思？

③ 黄灯亮又是什么意思？

④ 为什么不能把手和头伸出车窗外？

拓展宝宝思维宽度和深度的问题

（要按照孩子的年龄和心理认知能力，酌情提问）

① 宝宝知道汽车、摩托车、自行车在马路上行走时，应该在马路的左边还是右边？

② 宝宝知道行人在过马路时，应该从什么地方过吗？

第五十二课

宝宝学生字

湖　棵　瓜

透　腿　狐

粗　竿　狸

跟

宝宝读词语

被子　被告　够不够　不够

能够　够得着　够不着

够着了　够朋友　人命

生命　救命　长颈鹿　一定

不一定　定时　定期　坐定

定心　吓人　啄米　啄食

啄破　啄木鸟　破了　破开

宝宝读故事

小白兔上天

兔妈妈拿着一串气球给小白兔，告诉他说气球是大猩猩伯伯送的，小白兔高兴地接过气球。可是，他一接过这串气球，就被气球带着，往天上飞去。

兔妈妈跳啊跳啊，根本够不着，她着急地大声喊叫："快快救

救命！

救小白兔，谁快来救救小白兔呀！"

长颈鹿听见了，赶快跑来，他想，自己这么高，一定能够拉住往上飞的小白兔。可是，长颈鹿够不到小白兔。

小猴子也听到兔妈妈的喊声，他飞快地爬上了树，想去救小白兔。可是，他也够不到往天上飞得很快的小白兔。

被气球带往天空的小白兔吓得一边"呜——"地哭，一边喊着："救命啊！救命啊！谁来救救我呀！"

正带着小鸟在天上练习飞的鸟妈妈听见了小白兔的哭喊声，马上对小鸟们说："我们赶快去救小白兔！"

"我们怎么救他呀？"小鸟问。

"我们去啄气球，把气球啄破了，小白兔就可以掉到地上去了。可是不能把气球一下都啄破，要一个一个地啄破。"鸟妈妈说。

"为什么不能一下子都啄破呢？"

"要是一下子把气球都啄破，小白兔就会很快往下掉，那样会摔死的。一个一个地啄破，小白兔慢

慢地往地上掉，就没有事了。"

小鸟们飞到小白兔身边，一个、一个地啄破气球，当啄破两个气球以后，小白兔就停住了，不再往上飞。当啄破四个气球以后，小白兔开始往下掉。

就这样，小白兔慢慢慢慢地掉到了地上。

兔妈妈扑到小白兔身边，抱起小白兔，一边亲他，一边说："你真是个勇敢的孩子。"又一边对救了他的小鸟们说："谢谢你们，谢谢你们救了我的孩子。"

汉字教学法

用形象、比喻、诱导、启发式教授汉字

湖：可引用词语——湖水，湖泊

棵：可引用词语——一棵

瓜：可引用词语——冬瓜，南瓜，西瓜，黄瓜，木瓜，瓜果，瓜子，瓜皮，瓜分

透：可引用词语——透风，透雨，透亮，透明，看透，透过，透露

腿：可引用词语——大腿，小腿，狗腿，腿脚

狐：可引用词语——狐狸

狸：可引用词语——狐狸，狸猫

跟：可引用词语——跟前，跟着，跟随，跟头

粗：可引用词语——粗心，粗细

竿：可引用词语——竹竿

提高专注力汉字教学法

湖：❶湖边有一座小房子。

❷长沙是湖南的省会。

棵：❶这棵树比那棵树高。

❷奶奶买了两棵白菜。

瓜：❶ 新疆的哈密瓜好吃。
　　❷ 农民伯伯种大西瓜。

腿：❶ 袋鼠前腿短后腿长。
　　❷ 他是日本鬼子的狗腿子。

粗：❶ 粗心黑猫放跑了老鼠。
　　❷ 这棵树的树干很粗。

狸：❶ 狸猫换太子是故事。
　　❷ 狐狸偷到鸡逃跑了。

透：❶ 爷爷生病透不过气。
　　❷ 透明的塑料膜很薄。

狐：❶ 故事中狐狸都狡猾。
　　❷ 狐假虎威是个成语。

竿：❶ 竹竿可用来晒衣服。
　　❷ 百尺竿头更进一步。

跟：❶ 我跟在爷爷后面走。
　　❷ 小猴子摔了个跟头。

 **词语教学法**　参见第五十一课"词语教学法"。

 **故事教学法**·····································

先念熟故事，再回答下面的问题

爸爸、妈妈按课文内容问宝宝的问题

❶ 为什么兔妈妈没被气球带到天上，而小白兔被气球带到了天上？

❷ 按顺序说出有谁来救小白兔？

❸ 为什么不能把气球一下子都啄破？

❹ 啄破几个气球后，小白兔就不再往上飞了？

❺ 啄破几个气球后，小白兔就开始往下掉？

拓展宝宝思维宽度和深度的问题

（要按照孩子的年龄和心理认知能力，酌情提问）

❶ 宝宝知道能够往上飞的气球里面装的是什么气体吗？

❷ 热气球也会往天上飞，宝宝知道热气球里面是不是也装了氢气？问问爸爸妈妈。

 宝宝学生字

钓 甩 钩 忘

装 饵 算 桶

坏 忙

湖水　一棵　两棵　冬瓜

南瓜　西瓜　黄瓜　木瓜

瓜果　瓜子　瓜分　透风

透雨　透亮　透明　看透

透过　大腿　小腿　狗腿

狐狸　狸猫　跟前　跟着

跟头　粗心　粗细　竹竿

宝宝读故事

"咕咚"来了

湖边有棵木瓜树，树边住着小白兔。一天，有只熟透了的木瓜，被风一吹，从树上落下来，"咕咚"一声，正好掉在湖里。

小白兔听到"咕咚"一声，吓得拔腿就跑。狐狸看见小白兔跑得那么快，就问："出了什么事？"小白兔一边跑一边说："咕咚——，咕咚——！"

狐狸看到小白兔那害怕的样子，以为"咕咚"是个很可怕的东西，就也跟着跑起来。

猴子看到他们没命地跑，就赶上去问："出了什么事？"狐狸说："'咕咚'来了！"猴子想，狐狸吓成这个样子，"咕咚"一定是个很可怕的东西，就也跟着跑起来。

路上，他们又碰到了狗熊、梅

花鹿、老虎。他们同样问："出了
什么事？"

"'咕咚'来了！"于是，大
家也都跟着没命地跑起来。

最后，他们碰到了一只长毛狮
子，他喊住了大家，问："什么东
西把你们吓成这个样子？"大家上

气不接下气地说："不得了，'咕咚'来了！"

长毛狮子问："'咕咚'是谁？它在哪里呀？"大家都说不知道。小白兔说："那个'咕咚'就在我住的湖边。"

长毛狮子说："那好，你带我们去看看。"

到了湖边，大家东找找，西看看，哪里有什么"咕咚"呀！正在这时，又有一只熟透了的木瓜掉到湖里，又是"咕咚"一声。

这时，大家才明白，"咕咚"原来是木瓜掉到水里的声音。

汉字教学法

用形象、比喻、诱导、启发式教授汉字

钓：可引用词语——钓鱼，钓钩

甩：可引用词语——甩手，甩开，甩出，甩去，甩掉

钩：可引用词语——鱼钩，钓钩，钩子，弯钩

忘：可引用词语——忘掉，忘记，忘我

装：可引用词语——假装，西装，安装，装好，装修

饵：可引用词语——鱼饵，钓饵

算：可引用词语——算了，算数，计算，算题，心算，珠算，总算

桶：可引用词语——桶子，水桶，油桶，木桶，铁桶

坏：可引用词语——坏了，坏人，坏蛋，坏东西，坏事，气坏了，乐坏了

忙：可引用词语——很忙，急忙，忙着，赶忙，连忙，忙碌，忙乱

提高专注力汉字教学法

钓：① 小猫妈妈钓到大鱼。
② 李姨钓妈妈的胃口。

钩：① 奶奶钩了件灰背心。
② 数字5像个小钩子。

装：① 我把书装到书包里。
② 狐狸用装病来骗人。

算：① 奶奶这次就算了吧。
② 看我怎么和你算账。

坏：① 鸡蛋坏了气味好臭。
② 警察抓住很多坏人。

甩：① 姐姐把辫子甩到背后。
② 爸爸甩脱了跟梢的。

忘：① 爷爷总是忘记吃药。
② 解放军忘我地救灾。

饵：① 钓鱼别忘记装鱼饵。
② 到市场能买到饵料。

桶：① 年久失修的桶漏了。
② 用大桶接满一桶水。

忙：① 农忙时分积极抢收。
② 叔叔急急忙忙走了。

词语教学法

参见第五十一课"词语教学法"。

故事教学法

先念熟故事，再回答下面的问题

爸爸、妈妈按课文内容问宝宝的问题

❶ 一开始是谁听到了"咕咚"声？

❷ 有哪些动物跟着小白兔一起跑？

❸ 是谁发现了问题，没有跟着跑？

❹ "咕咚"到底是什么？

拓展宝宝思维宽度和深度的问题

（要按照孩子的年龄和心理认知能力，酌情提问）

❶ 宝宝想一想，自己没有明白的事情，就跟着大家一起做，对吗？

❷ 宝宝想一想，做一件事情之前，你是不是想好了如何去做？如果没有想好，你会去做吗？

宝宝读字 宝宝数字

颗	颈	棵	棵	颗	跟	很	颈	比	北
颈	颗	棵	颈	颈	颗	跟	比	北	被
颈	棵	颗	颈	棵	破	比	跟	被	很
棵	棵	颈	颗	颈	比	破	被	跟	很

颗	颈	棵	棵	颗	北	被	破	北	跟
北	颗	破	被	跟	被	北	比	跟	北
比	破	被	破	被	跟	很	跟	比	破
被	比	北	被	破	北	跟	比	破	比

 提高专注力汉字教学法

　　随着孩子的逐渐长大，从本课开始，专注力的训练难度还会增大。仍然要进行视觉集中和听觉集中训练的内容。

　　❶ 视觉集中训练：

　　1）先引导孩子一行一行按顺序读上表中已经学过的形近字或难学字（多为连词、介词等虚词），以便进一步巩固对汉字的记忆。本课包含"比，北，跟，根，颈，颗，棵，被，破"。

　　2）再引导孩子一列一列按顺序读上表中已经学过的形近字或难学字。

　　3）指导孩子数表中每个汉字的数量，可一行一行地数，也可一列一列地数（最好两种方法都用），例如："数一数表中有多少个'比'字"，特别注意数字形相近的汉字。

　　4）进行训练时，应视孩子的年龄和能力进行，例如：先数三行中有多少个"比"字。如果孩子坚持性已有所提高，可以增加行数。

　　5）本课文中的课文已经比较长，家长可以适当选择某段内容让孩子全神贯注地倒读。因为倒读的课文没有逻辑性，需要注意力高度集中，可以训练孩子的注意能力。

　　6）家长适当指定某段课文，让孩子数出某个字的个数。

　　❷ 听觉集中训练：

　　1）家长读几行表中的汉字，让孩子听数有几个什么字，如：有几个"比"字。如果坚持性已有所提高，可以适当增加听读的行数。

　　2）家长选读课文中的某段内容，让孩子听数出有几个什么字。

　　❸ 一定要多进行表扬和鼓励，以便提起孩子的积极心理。

 宝宝学生字

洗　忽　然　全

条　怪　物　猪

影　信

宝宝读词语

钓鱼　甩手　甩开

甩出　甩去　甩掉

鱼钩　钩子　忘掉

忘记　忘我　西装

安装　装好　鱼饵

钓饵　算了　算数

算题　心算　总算

桶子　水桶　木桶

坏了　坏人　坏事

气坏了　　乐坏了

很忙　急忙　忙着

宝宝读故事

粗心的小猫

星期天大清早，小猫高高兴兴地背上大鱼竿去钓鱼。

到了河边，小猫把鱼竿甩到河里等着鱼上钩。等啊等，太阳老高了，还没有鱼上钩。呀！原来忘了装鱼钩。

小猫装好了鱼钩，把它甩到河里。等啊等，太阳快要下山了，还是没有鱼上钩。呀！原来又忘了装鱼饵。

小猫又把鱼饵装到鱼钩上，把它放进水里。等啊等，太阳快要落山时，总算钓上一条好大好大的鱼。

小猫高兴得马上想拿回家给妈妈。坏了！忘记带装鱼的桶子。小猫只好用双手抱着鱼，急急忙忙跑回去。

跑着跑着，小猫一下想起忘记拿

回大鱼竿了。只好再回去拿鱼竿。

　　鱼竿还在河边。小猫去拿鱼竿时，手里的大鱼一跳，落到地上，再一跳跳到河里，一游就不见了。

　　粗心的小猫一条鱼也没有钓到，只好背着大鱼竿回家去了。

汉字教学法

用形象、比喻、诱导、启发式教授汉字

洗：可引用词语——洗手，洗脸，洗澡，清洗

忽：可引用词语——忽然，忽而

然：可引用词语——忽然，突然，然后

全：可引用词语——全身，全家，全班，全力，全部，全面，全体，安全，顾全

条：可引用词语——条子，枝条，柳条，条件

怪：可引用词语——奇怪，怪人，怪物，怪样，怪不得

物：可引用词语——动物，植物，生物，货物，物品，物价

猪：可引用词语——大猪，小猪，肥猪，野猪

影：可引用词语——影子，黑影，倒影，合影，影响，电影院，电影，影片，影集

信：可引用词语——来信，去信，写信，信封，信箱，信心，信任，信用

 ## 提高专注力汉字教学法

洗：❶ 饭前洗手非常重要。

❷ 用洗衣机洗衣服快。

然：❶ 我们要保护大自然。

❷ 天忽然下起了冰雹。

条：❶ 一条小路通到山上。

❷ 我们都不爱吃面条。

物：❶ 植物园有很多游客。

❷ 人类保护野生动物。

影：❶ 大家去看立体电影。

❷ 姑姑有很多本影集。

忽：❶ 天忽然下起了大雨。

❷ 弟弟忽而东忽而西。

全：❶ 我要把论语全背会。

❷ 必须注意人身安全。

怪：❶ 出现了一些怪现象。

❷ 怪物原来是个影子。

猪：❶ 猪八戒做事爱偷懒。

❷ 吃饲料的猪长得快。

信：❶ 过去是邮递员送信。

❷ 我们说话要讲信用。

① 先念会32个词语。

② 和孩子讨论每个词语的意思，先鼓励孩子用自己的话讲解出来（或者用造句的形式也可以，只要证明孩子已经懂得意思即可），之后家长加以补充和纠正。这种做法可以训练孩子的理解力和语言表达能力。

③ 家长说词语，让孩子用汉字卡片摆出这个词语。

先念熟故事，再回答下面的问题

爸爸、妈妈按课文内容问宝宝的问题

① 小猫今天钓到鱼了吗？有没有带鱼回家？

② 太阳老高了，还没有钓到鱼，是忘了装什么？

③ 太阳快下山时，小猫还没有钓到鱼，又是忘了装什么？

④ 鱼钓起来以后，为什么没有能够带回家，小猫又忘了带什么？

⑤ 小猫抱着鱼回家时，想起又忘记了拿什么东西？

⑥ 小猫究竟钓到了鱼没有？那条大鱼到哪里去了？

拓展宝宝思维宽度和深度的问题

（要按照孩子的年龄和心理认知能力，酌情提问）

① 宝宝知道钓鱼的时候需要准备什么东西吗？

② 宝宝想一想，小猫究竟是记性不好，还是他没有学会想问题？

③ 要想使自己不像小猫那样成为笨孩子，宝宝在平时是不是自己应该多做些事情，在做事情时学会想事情？

④ 宝宝试试自己用洗衣机洗一次衣服，想一想，从把衣服放到洗衣机到把衣服晾起来，都应该怎样做，要准备什么东西？

第五十五课

 宝宝学生字

呼 结 冰 枝

发 抖 暖 屋

法 件 于

洗手　　洗脸　　清洗

忽然　　然后　　全身

全家　　全班　　全力

全面　一条路　两条鱼

条子　　柳条　　怪人

怪物　　怪样　怪不得

动物　　生物　　大猪

小猪　　影子　　倒影

电影　　来信　　去信

写信　信不信　不信

信心

宝宝读故事

怪 物

一天，小猴子去河边洗手，忽然，它看见水里有一个全身长毛，还有一条长尾巴的怪物正看着他。这可把小猴子吓坏了。

小猴子赶快就跑，上气不接下气

地跑到小猪家："河里有个全身长毛，还有一条长尾巴的怪物，好可怕啊！"

"真的？带我去看看。"

"我不去，我怕。"

"我们一起去，就不怕了。"

他们两个来到河边，小猪往河里一看，看见一个大嘴巴、大耳朵、鼻子朝天的怪物正看着他。

"呀！快跑，真有怪物。"小猪和小猴子没命地跑。

"小猪，小猴子，你们跑那么快，是要到哪里去呀？"大象问道。

"河里有个大嘴巴、大耳朵、鼻子朝天的怪物。"

"不对，是个全身长毛，还有一条长尾巴的怪物，好可怕的。"

"啊！我知道啦。"大象笑了起来，"那不是怪物，是你们自己的倒影。不信，你们再回去看看。"

小猪和小猴子又回到河边："原来这就是倒影啊！"

他们两个，我看看你，你看看我，都笑了。

河里的"怪物"也笑了。

汉字教学法

用形象、比喻、诱导、启发式教授汉字

呼：可引用词语——呼叫，呼喊，呼唤，呼声，呼吸，呼气，呼噜

结：可引用词语——结子，结冰，结婚，结果，结束，结尾

冰：可引用词语——冰凉，冰冷，冰水，结冰，冰雪，冰花，冰雹，冰冻，冰激凌，冰糖，冰棒，冰鞋，冰山，冰箱

枝：可引用词语——树枝，枝条

发：可引用词语——发生，发电，发水，发火，发怒，发脾气，发烧，发抖，发亮，发出，发明，发芽，头发，出发，发给

抖：可引用词语——发抖，抖动，抖掉

暖：可引用词语——温暖，冷暖，暖水瓶，暖和，暖烘烘

屋：可引用词语——房屋，里屋，外屋，屋子，屋顶

法：可引用词语——办法，方法，法宝，法官，法律，法庭，法院

件：可引用词语——一件，文件，急件

于：可引用词语——于是，对于，用于

提高专注力汉字教学法

呼：❶ 他的呼吸很正常。
　　　❷ 请注意听我呼叫你。

结：❶ 叔叔和小姨结婚了。
　　　❷ 小红头上有蝴蝶结。

冰：❶ 高原上有许多冰山。

　　❷ 电冰箱越来越大了。

发：❶ 地震时大地在发抖。

　　❷ 最近发生了很多事。

暖：❶ 整个地球都在变暖。

　　❷ 太阳晒得暖洋洋的。

法：❶ 小明有一个好方法。

　　❷ 法国是欧洲的国家。

于：❶ 由于天太热的原因。

　　❷ 大姨妈终于放弃了。

枝：❶ 枝头上的鸟儿在唱。

　　❷ 龙卷风卷走了树枝。

抖：❶ 小狗吓得瑟瑟发抖。

　　❷ 颤抖的房屋倒塌了。

屋：❶ 屋顶是用树枝搭的。

　　❷ 屋子里布置得很好。

件：❶ 我有一件宝贝东西。

　　❷ 爸爸发了很多邮件。

 参见第五十一课"词语教学法"。

先念熟故事，再回答下面的问题

 爸爸、妈妈按课文内容问宝宝的问题

❶ 小猴子在河里看到了什么样的怪物？

❷ 小猪在河里看到了什么样的怪物？

❸ 小猴子和小猪笑的时候，河里的"怪物"是什么样的？

 拓展宝宝思维宽度和深度的问题

（要按照孩子的年龄和心理认知能力，酌情提问）

❶ 为什么大象知道的事情那么多？

❷ 如果大象去河边，他看到的"怪物"应该是什么样子？

❸ 我们每个人的家里都有一样什么东西，可以使我们看见自己的样子？

第五十六课

宝宝学生字

松　帽　戴　热

候　劳　流　汗

凉　别

宝宝读词语

呼叫	呼喊	呼声
呼气	结子	结冰
结果	结尾	冰雪
冰花	冰冷	冰水
冰山	树枝	枝条
发生	发电	发水
发火	发亮	发出
发明	头发	出发

发给　发抖　抖动

抖掉　冷暖　暖和

暖水瓶　里屋　外屋

屋子　屋顶　办法

方法　法宝　法国

一件　两件　文件

急件　于是　对于

用于

宝宝读故事

北风爷爷的礼物

冬天到了，北风爷爷呼呼地唱着歌，高高兴兴地出了家门。

北风爷爷一边走，一边吹风。风吹到了小河，小河里的水就结成了冰。北风爷爷吹到小树林，树枝冷得直发抖。北风爷爷去找小鸟玩，小鸟说："北风爷爷，你吹得我好冷呀，我要回家了。家里很暖和。" 北风爷爷想找小朋友玩，

小朋友们也说："北风爷爷，你吹得我们好冷呀，我们要回家了。家里可暖和呢！"

北风爷爷生气了，谁都不和我玩，他就"咚咚"地敲门，还是想叫小朋友出来和他一起玩。小朋友们说："北风爷爷，外面好冷。我们还是在屋子里玩吧！"

北风爷爷想出了一个好办法，他大声地喊："呼——，呼——，小朋友们，快出来！看看我

给你们带来一件什么样的礼物呀！"

　　小朋友们把门打开一看，呀！一片，两片，三片……好美丽的雪花呀！地上白了，屋顶白了，树枝也白了。于是，一个，两个，三个……许多小朋友都从屋子里跑出来，和北风爷爷一起高高兴兴地打雪仗、堆雪人、做游戏，北风爷爷说："你们真是不怕冷又勇敢的好孩子！"

用形象、比喻、诱导、启发式教授汉字

松：可引用词语——松树，松子，松鼠，松口，松手，放松，轻松，松软，松花蛋

帽：可引用词语——帽子，草帽，遮阳帽

戴：可引用词语——戴上，戴帽子

热：可引用词语——热带鱼，热了，热水，热水瓶，热天，很热，热闹，热爱，热情，热心，火热，冷热

候：可引用词语——问候，等候，候鸟，时候

劳：可引用词语——劳动，劳驾，劳苦，劳累

流：可引用词语——流水，流汗，流血，流星，河流，水流，人流，流动，流浪

汗：可引用词语——汗毛，流汗，汗水，汗珠子，汗衫

凉：可引用词语——凉水，凉快，凉爽，凉席，凉鞋，凉菜，凉台，凉亭，凉药，冰凉，清凉

别：可引用词语——别人，别的，个别，别给，别走，别哭，别说话，别针，告别

提高专注力汉字教学法

松：① 松鼠有一个大尾巴。
　　② 山上的松树长高了。

戴：① 爷爷戴着大棉帽子。
　　② 妈妈戴的名牌手表。

候：① 我们在候车室坐着。
　　② 什么时候你还会来？

流：① 泉水从山上流下来。
　　② 人流出的汗是咸的。

凉：① 直到夜里才有凉意。
　　② 弟弟着凉又生病了。

帽：① 冬天大家都戴帽子。
　　② 草帽有挡雨的作用。

热：① 小朋友们热爱祖国。
　　② 他对大家非常热情。

劳：① 劳动者创造了世界。
　　② 劳燕分飞是个成语。

汗：① 人人都是汗流满面。
　　② 汗洒到干涸的地里。

别：① 小姨告别大家走了。
　　② 这都是别人的东西。

 参见第五十一课"词语教学法"。

先念熟故事，再回答下面的问题

 爸爸、妈妈按课文内容问宝宝的问题

① 冬天，北风爷爷吹过的时候，小河里的水和树枝就怎样了？
② 北风爷爷为什么会生气？
③ 北风爷爷送来了什么礼物？
④ 小朋友出来和北风爷爷玩什么游戏？

 拓展宝宝思维宽度和深度的问题

（要按照孩子的年龄和心理认知能力，酌情提问）

① 宝宝问爸爸妈妈为什么北风会那样冷？
② 什么季节刮北风？夏季刮什么方向的风？

整（还 觉）盖

怜 窝（着）病

受　　羽　　望

宝宝读词语

松树　　松子　　松鼠

松口　　松手　　放松

轻松　　帽子　　草帽

太阳帽　戴上　　戴帽子

热带鱼　热天　　很热

热了　　热水　　热爱

热心　　火热　　冷热

问候　　等候　　候鸟

时候　　劳动　　凉水

凉快　　冰凉　　清凉

别人　　别的　　个别

别给　　别走　　别哭

别说话　告别

会变的太阳帽

小松鼠有一顶会变大又会变小的太阳帽，戴上它，就一点也不热了。

夏天的时候，大家都在太阳下面劳动，热得流大汗。

小松鼠看见小蚂蚁很热，就把太阳帽给小蚂蚁戴上，帽子到了小蚂蚁头上就变小了。小蚂蚁戴上它，很凉快。小蚂蚁戴了一会儿，就把帽子还给小松鼠，说："你自己戴吧，你比我更热！"

小松鼠又把太阳帽给流汗的大象戴在头上，帽子就变大了。大象戴上帽子，一点也不热了。大象戴了一会儿，也还给了小松鼠，说："你给别人戴吧，别人比我更热。"

小松鼠看着大家都在太阳下面劳动，真热呀！这顶帽子给谁戴好呢？

小松鼠想啊想，想到了一个好办法。他爬到了大山的山顶，把太阳帽戴在山顶的尖尖上，太阳帽忽然变得很大很大，把整座大山都盖住了。大家在帽子下面劳动，觉得很凉快，一点汗也没有了。于是，大家一起唱起快乐的歌。

汉字教学法

用形象、比喻、诱导、启发式教授汉字

整：可引用词语——整个，整齐，整洁，整理

还：可引用词语——还给，还书，还手，还礼，还价，还嘴，送还

觉：可引用词语——觉得，视觉，听觉

盖：可引用词语——盖子，盖着，盖头，锅盖

怜：可引用词语——可怜，怜爱

窝：可引用词语——鸟窝，被窝，心窝，窝里，窝头

着：可引用词语——着急，着火，睡着了

病：可引用词语——病人，生病，病倒，看病，病房，病床，病院，病假

受：可引用词语——受害，受罚，受苦，受累，受罪，受惊，受凉，受骗，受伤，受灾，受到，难受，接受

羽：可引用词语——羽毛，羽翼

望：可引用词语——望着，望见，望远镜，看望，希望

 提高专注力汉字教学法

整：❶ 姐姐慢慢整理书包。
❷ 大家迈着整齐的步伐。

盖：❶ 奶奶给我盖上衣服。
❷ 小猴子懒得盖房子。

怜：❶ 小狗生病了好可怜。
　　❷ 要怜悯受难的人们。

病：❶ 医院里有很多病人。
　　❷ 乐乐病了一个星期。

羽：❶ 小鸟的羽毛很丰满。
　　❷ 我有一件羽绒大衣。

窝：❶ 我们都爱吃窝窝头。
　　❷ 小鸟的窝搭在树上。

受：❶ 哥哥说他受不了了。
　　❷ 做作业像受罪一样。

望：❶ 妈妈对我期望很高。
　　❷ 我希望你快快长大。

词语教学法 ·················

❶ 先念会38个词语。

❷ 和孩子讨论每个词语的意思，先鼓励孩子用自己的话讲解出来（或者用造句的形式也可以，只要证明孩子已经懂得意思即可），之后家长加以补充和纠正。这种做法可以训练孩子的理解力和语言表达能力。

❸ 家长说词语，让孩子用汉字卡片摆出这个词语。

故事教学法 ·················

先念熟故事，再回答下面的问题

爸爸、妈妈按课文内容问宝宝的问题

❶ 小松鼠有一顶什么样的帽子？

❷ 哪些小动物戴过小松鼠的帽子？

❸ 小动物们为什么都愿意把帽子让给别人戴？

❹ 小松鼠想到一个什么方法，使大家都不热了？

拓展宝宝思维宽度和深度的问题

（要按照孩子的年龄和心理认知能力，酌情提问）

❶ 如果你是小松鼠，你愿意把帽子给别人戴吗？

❷ 宝宝能发明一顶能变大又能变小的帽子吗？

宝宝读字 宝宝数字

钓	钓	钓	甩	甩	钩	钩	钩	甩	用
用	钓	钩	用	甩	钓	钩	用	甩	钓
钩	甩	钓	甩	钓	用	钩	甩	钩	甩
友	发	热	热	热	发	友	熟	熟	熟
发	发	发	热	熟	熟	热	友	熟	热
热	熟	友	发	热	热	发	熟	熟	发
钓	熟	用	钩	热	发	甩	钩	发	甩
熟	钓	钩	热	友	甩	发	熟	钓	热

 提高专注力汉字教学法

❶ 视觉集中训练：训练方法同于第五十三课。本课包含"用，甩，钓，钩，发，友，热，熟"。

❷ 听觉集中训练：训练方法同于第五十三课。

宝宝学生字

骑　　行　　远

经　　旁　　婶

呵　　稀　　奇

宝宝读词语

整个　整理　还给

还书　还手　还东西

送还　觉得　盖子

盖着　可怜　怜爱

鸟窝　心窝　窝头

着急　着火　睡着了

病人　　生病　　看病

病倒　　大病　　小病

受害　　受到　　难受

接受　　羽毛　　望着

望见　　看望

宝宝读故事

帽子鸟窝

冬天到了，北风呼呼地吹，天气很冷，有一只小鸟真可怜，他在树枝上直发抖。

一位老爷爷走过来，他看见小鸟在树枝上发抖，就问小鸟："你

为什么不回家？在这里发抖？"

小鸟说："风把我们的鸟窝吹走了，我们没有家了。"

老爷爷说："别着急，我来帮你们想办法。"老爷爷就用自己的帽子给小鸟做了鸟窝。老爷爷的帽子可真暖和！

小鸟想，树林里还有很多怕冷的小鸟，一定也在发抖，快把他们也叫来吧。

于是，小鸟们都飞进了老爷爷的帽子里，真暖和呀！他们高兴地唱着歌："小鸟飞来，小鸟飞来，爷爷的帽子真暖和。谢谢爷爷，谢谢爷爷，住在这里不冷了。"

以后，老爷爷天天都来看望小

鸟，听小鸟们唱歌，大家都很开心。

可是，有一天，老爷爷没有来。原来老爷爷病了。

小鸟们想，一定是老爷爷把帽子给了我们，他自己受凉生了病。我们来给他做一顶帽子吧。

于是，小鸟们就用自己的羽毛做成了一顶帽子送给了老爷爷。

过了几天，老爷爷病好了，他又来看望小鸟，小鸟们又唱起了快乐的歌。

汉字教学法

用形象、比喻、诱导、启发式教授汉字

骑：可引用词语——骑车，骑马，骑兵

行：可引用词语——行人，人行道，举行，行礼，行走，自行车

远：可引用词语——远近，很远，走远，远方，远景，出远门

经：可引用词语——经理，经常，经过，经验

旁：可引用词语——一旁，旁边，旁人，路旁，旁观，旁听

婶：可引用词语——大婶，婶子

呵：可引用词语——笑呵呵，呵护

稀：可引用词语——稀奇，稀少，稀饭，稀粥

奇：可引用词语——奇怪，奇妙，奇遇

 ### 提高专注力汉字教学法

骑：① "骑鹅历险记"很好看。
② 骑摩托时要戴安全帽。

远：① 远山是青灰色的。
② 他在远处向我喊叫。

旁：① "心无旁骛"形容心静。
② 小明坐在我的旁边。

呵：① 爷爷总是呵呵地笑。
② 奶奶对我呵护过分。

行：① 骑自行车的人不多。
② 在钢索上行走很难。

经：① 妈妈有些神经衰弱。
② 叔叔经常出去旅游。

婶：① 狐狸大婶抱小狮子。
② 爸爸的婶娘很老了。

稀：① 稀奇稀奇真稀奇啊。
② 钴是一种稀有金属。

奇： ① 我总希望出现奇迹。

② 街上有些奇怪的人。

 参见第五十一课"词语教学法"。

先念熟故事，再回答下面的问题

爸爸、妈妈按课文内容问宝宝的问题

① 小鸟为什么不回家？

② 老爷爷是怎样帮助小鸟的？

③ 小鸟们飞进老爷爷的帽子以后，唱了一首什么歌？

④ 老爷爷为什么会生病？

⑤ 老爷爷生病后，小鸟们为老爷爷做了什么？

拓展宝宝思维宽度和深度的问题

（要按照孩子的年龄和心理认知能力，酌情提问）

① 宝宝知道真正的鸟窝是用什么东西做的吗？

② 宝宝想一想，帮助了别人之后，是不是会感到很快乐？你帮助过别人吗？

 宝宝学生字

祝	贺	哟
脑	呆	床
闹	钟	拔
准	备	

宝宝读词语

骑车　骑马　骑自行车

行人　人行道　行走　远近

很远　走远　远方　出远门

经过　一旁　旁边　旁人

路旁　旁听　大婶　婶子

笑呵呵　乐呵呵　稀奇

稀少　稀饭　奇怪

两个苹果

　　小花狗骑着自行车回家，从车的后篮里掉下来两个大苹果。小羊看见了，喊道："小花狗，苹果掉了！"喊了好几声，小花狗都没有听见。小羊只好拿着两个大苹果，看着小花狗骑远了。

　　小猪看见了，对小羊说："小花狗已经走远了。就给我吃一个吧！"

小羊说："不行。"

小猪说："你一个人想吃两个。真坏！"

小白兔开着小汽车经过这里，小羊急忙叫着："小白兔，小白兔，你停一停，帮我把大苹果还给小花狗。"

小白兔说："你坐上来吧。我开车赶上小花狗，你自己还给他吧！"

小猪在一旁，听见他们说的话，脸儿

红了。

　　小白兔开车赶上了小花狗，小花狗接过小羊的苹果，说："谢谢小羊，谢谢你们大家。"

用形象、比喻、诱导、启发式教授汉字

祝：可引用词语——祝贺，祝福，祝酒，祝寿

贺：可引用词语——祝贺，庆贺，贺信，贺电，贺礼

哟：可引用词语——哎哟

脑：可引用词语——脑袋，脑子，头脑，大脑，右脑，左脑，小脑

呆：可引用词语——发呆，呆呆的，呆头呆脑

床：可引用词语——起床，小床，床铺，床单，床位

闹：可引用词语——吵闹，打闹，胡闹，热闹

钟：可引用词语——看钟，挂钟，座钟，闹钟，打钟，钟表，钟点，钟头

拨：可引用词语——拨弄，拨出，拨动

准：可引用词语——准时，准备，准确，准是

备：可引用词语——预备，准备

 提高专注力汉字教学法

祝：❶ 大家祝我生日快乐。

　　❷ 全国人民庆祝国庆。

贺：❶ 我给爷爷写了贺卡。

　　❷ 妈妈给外公寄贺礼。

哟：① 老鼠吓得哎哟大叫。

② 哟——你怎么来了。

呆：① 她呆头呆脑地坐着。

② 妈妈让我呆在那儿。

闹：① 春节庙会热闹非凡。

② 夜里有人大声吵闹。

拨：① 赶紧拨打110报警。

② 我送拨浪鼓给弟弟。

备：① 我们准备出去旅游。

② 老师说"预备，开始！"

脑：① 大头儿子脑袋很大。

② 海豚的脑比较发达。

床：① 小弟的婴儿床很小。

② 妈妈洗了几床被子。

钟：① 火车站的钟特别大。

② 钟鼓楼在城市东面。

准：① 我准时起床去跑步。

② 爸爸准许我学跆拳道。

 参见第五十一课"词语教学法"。

先念熟故事，再回答下面的问题

 爸爸、妈妈按课文内容问宝宝的问题

① 苹果是从哪里掉下来的？

② 小羊捡到苹果后是怎么做的？

③ 小羊是怎么把苹果还给小花狗的？

④ 小猪听到他们说的话，他怎样了？

 拓展宝宝思维宽度和深度的问题

（要按照孩子的年龄和心理认知能力，酌情提问）

① 小羊为什么不吃拣到的苹果？

② 小猪听到他们说的话，为什么脸红？

宝宝学生字

其　实　轻

响　迟　已

叠　包　碗

写　冒　您（了）

祝贺　贺信　贺电　贺礼

脑子　头脑　大脑　右脑

左脑　小脑　发呆　呆呆地

呆头呆脑　起床　小床

打闹　热闹　闹钟　看钟

打钟　钟点　拨动　准时

准备　准是

宝宝读故事

虎宝宝和小猫

　　虎妈妈生了个宝宝，接生的狐狸大婶乐呵呵地说："看，虎宝宝真好玩，像只可爱的小猫。"

　　兔子正好经过这里，没有听清狐狸大婶的话，就跑去告诉松鼠："稀

奇！稀奇！虎妈妈生了一只小猫。"

松鼠想，是小猫一定会爬树。松鼠就跑去告诉小熊："不稀奇！不稀奇！虎妈妈生的小猫会爬树。"

小熊想，会爬树，也一定会捉老鼠。小熊就跑去告诉小鹿："稀奇！也不稀奇！虎妈妈生的小猫会爬到树上捉老鼠。"

于是，兔子、松鼠、小熊、小鹿一起去向虎妈妈祝贺。狐狸大婶抱出宝宝给大家一看，哟，虎头虎脑的，不是小猫呀！

这是怎么回事呢？小鹿怪小熊，小熊怪松鼠，松鼠怪兔子，兔子呆呆地站在那里，不知道怪谁。

你知道怪谁吗？

汉字教学法

用形象、比喻、诱导、启发式教授汉字

其：可引用词语——其中，其实，其他，其次

实：可引用词语——老实，实话，果实

轻：可引用词语——轻轻的，年轻，轻重，轻快，轻声，轻松

响：可引用词语——响亮，响声，很响

迟：可引用词语——迟到，迟早

已：可引用词语——已经，以往

叠：可引用词语——叠起，叠被，叠床，折叠

包：可引用词语——包子，书包，纸包，皮包，包括，包围，包装

碗：可引用词语——大碗，小碗，水碗，瓷碗，铁碗，饭碗

写：可引用词语——写字，写信，写日记，写书

冒：可引用词语——冒烟，冒充，冒险，冒出来

您：可引用词语——您好，请您

了：可引用词语——了不得，了不起，不得了，了解，了结

提高专注力汉字教学法

其：① 其实你很想去画画。
　　② 我不会做其他的事。

轻：① 叔叔阿姨非常年轻。
　　② 泡沫是很轻的东西。

迟：① 早晨华华又迟到了。
　　② 今年春天来得很迟。

叠：① 我学会了自己叠被子。
　　② 看杂技表演叠罗汉。

碗：① 我洗碗洗得很干净。
　　② 碗里不能够有米粒。

冒：① 游泳时我会冒气泡。
　　② 小红说话冒冒失失。

实：① 舅妈是个实在的人。
　　② 老老实实做人很对。

响：① 外面放炮声音太响。
　　② 爸爸买的音响到了。

已：① 我已经长大懂事了。
　　② 要记住"学不可以已"。

包：① 我们班包了一辆车。
　　② 刚蒸好的包子好吃。

写：① 妈妈给大表姐写信。
　　② 我会写我的名字了。

燃：① 您请进，请坐，请喝茶。
　　② 您老人家身体可好。

词语教学法

参见第五十一课"词语教学法"。

故事教学法

先念熟故事，再回答下面的问题

爸爸、妈妈按课文内容问宝宝的问题

① 谁（哪个）生了个宝宝？谁接生的？

② 狐狸大婶对虎妈妈说了句什么话？

③ 兔子告诉松鼠一句什么话？

④ 松鼠告诉小熊一句什么话？

⑤ 小熊又告诉小鹿一句什么话？

⑥ 这件事情究竟应该怪谁（哪个）？

拓展宝宝思维宽度和深度的问题

（要按照孩子的年龄和心理认知能力，酌情提问）

❶ 宝宝听别人讲话，是不是能够认真地把别人的话听完？

❷ 如果没有把别人的话听完，应不应该就立刻答话？

 宝宝读字 宝宝数字

拨	拨	拨	爱	受	拨	拨	拨	受	爱
拨	受	拨	拨	爱	受	拨	爱	拨	拨
受	拨	拨	拨	受	爱	拨	受	拨	拨
拨	爱	爱	拨	拨	拨	爱	拨	受	拨
已	已	已	已	已	已	已	已	已	已
准	准	谁	准	准	谁	准	准	谁	受
已	已	准	已	谁	已	已	准	已	准
已	已	准	已	已	受	拨	拨	已	已

提高专注力汉字教学法

❶ 视觉集中训练：训练方法同于第五十三课。本课包含"受，爱，拨，拨，已，已，准，谁"。

❷ 听觉集中训练：训练方法同于第五十三课。

课后复习八

复习八宝宝读词语

其中	其实	其他
老实	实话	果实
轻轻地	轻快	轻声
轻松	响亮	响声
很响	迟到	迟早
已经	以往	叠起

叠被　包子　书包

纸包　大碗　小碗

水碗　饭碗　写字

写信　写日记　写书

冒出来　　您好

了不得　了不起

不得了　了解　了结

复习八宝宝读故事

闹钟响迟了

天黑了，兔宝宝上床睡觉了。兔妈妈把闹钟拨到6点，准备早上起来给兔宝宝做早饭。

其实，兔宝宝一直没有睡着，他在等着妈妈睡觉。等到兔妈妈睡着了，兔宝宝就轻轻地起了床，把闹钟拨到了7点。

第二天早上，闹钟响了，兔妈妈坐起来一看，不得了！都7点了。兔宝宝会迟到的。

可是一看，兔宝宝床上的被

子已经叠好了，书包也没有了。兔宝宝已经上学去了。

在桌子上放着一碗面条，一个荷包蛋，还在冒热气呢。旁边有一张纸条，上面写着："妈妈：能够帮您做点事，我很快乐！请吃早

饭吧，我去上学了。"

　　你知道兔宝宝为什么要这样做吗？因为它觉得自己长大了，应该帮着妈妈做事了。

复习八词语教学法 参见第五十一课"词语教学法"。

复习八故事教学法·······································

先念熟故事，再回答下面的问题

 爸爸、妈妈按课文内容问宝宝的问题

① 兔妈妈把闹钟拨到了几点？她准备做什么？

② 兔宝宝为什么没睡着？他做了什么事情？

③ 兔妈妈起来看见了什么？

④ 兔宝宝帮妈妈做了什么事？

⑤ 兔宝宝在纸条上写了什么？

 拓展宝宝思维宽度和深度的问题

（要按照孩子的年龄和心理认知能力，酌情提问）

① 宝宝猜一猜，兔宝宝是几点起来的？

② 宝宝想一想，兔宝宝有没有用闹钟？他是怎样醒来的？

③ 宝宝帮着妈妈做过什么事情？

而　船

撞　记　被

够　命　颈

定　吓　啄

chu á n   é r

b è i   j ì   zhu à ng

j ǐ ng   m ì ng   g ò u

zhu ó   xi à   d ì ng

破	湖	棵
瓜	透	腿
狐	狸	跟
粗	竿	钩

kē   hú   pò

tuǐ   tòu   guā

gēn   li   hú

diào   gān   cū

甩	钩	忘
装	饵	算
桶	坏	忙
洗	忽	然

wàng　　gōu　　shuǎi

suàn　　ěr　　zhuāng

máng　　huài　　tǒng

rán　　hū　　xǐ

全	条	怪
物	猪	影
呼	结	冰
枝	发	抖

guài   tiáo   quán

yǐng   zhū   wù

bīng   jié   hū

dǒu   fā   zhī

暖	屋	法
件	于	松
帽	戴	热
候	劳	流

fǎ　　wū　　nuǎn

sōng　　yú　　jiàn

rè　　dài　　mào

liú　　láo　　hòu

汗	凉	别
整	还	觉
盖	怜	窝
着	病	受

bié　　liáng　　hàn

jué
jiào　　hái　　zhěng

wō　　lián　　gài

shòu　　bìng　　zhe
zháo

羽	望	骑
行	远	经
旁	婶	稀
奇	祝	贺

qí   wàng   yǔ

jīng   yuǎn   háng

xī   shěn   páng

hè   zhù   qí

哟 脑 床

闹 钟 拨

准 备 其

实 响 迟

chuáng   nǎo   yō

bō   zhōng   nào

qí   bèi   zhǔn

chí   xiǎng   shí

已	叠	包
碗	写	冒
您	了	停
停	刚	刚

bāo   dié   yǐ

mào   xiě   wǎn

tíng   le   nín

gāng   gāng   tíng

比	比	串
串	信	信
呵	呵	呆
呆	轻	轻

chuàn   bǐ   bǐ

xìn   xìn   chuàn

dāi   hē   hē

qīng   qīng   dāi